D1406188

© 1986 Rada Matija AG, Staefa, pour l'édition française aux Editions Nord-Sud
Tous droits réservés
Photogravure: Photolitho AG, Gossau/ZH, Suisse
Composition: Fotosatz Erwin Hissek, Konstanz, Allemagne
Imprimé par Druckerei Uhl, Radolfzell, Allemagne
Loi n° 49-956 du 16 juillet 1949 sur les publications
destinées à la jeunesse. Dépôt légal 1er trimestre 1986
ISBN 3 85539 584 5

JÉRÉMIE

"PEUR-DE-RIEN"

ANNE-MARIE CHAPOUTON

UN LIVRE D'IMAGES NORD-SUD ILLUSTRE PAR JEAN CLAVERIE

ROYAL ORCHARD SCHOOL
LIBRARY DEPT.
York County Bd. of Ed.

Jérémie n'a peur de rien.
Il est formidable!
Le soir, il va à la cave
chercher des pommes de terre.
Il allume la lampe électrique
en se chantant une petite musique.
Il n'a absolument pas
absolument pas peur.
Même quand les toiles d'araignées
lui caressent le cou en passant.

La nuit, les cauchemars
ne gênent pas Jérémie.
Même quand il rêve d'un ogre
qui veut le mettre à la broche
pour le rôtir.

Jérémie dit seulement:
– Hé, là, un instant, je vous prie,
gros tas de lard.
Et BING! il lui met sur le nez
un gnon gros comme ça.
L'ogre s'étale à plat.
Et voilà.

Souvent, les soirs d'été,
Jérémie va se promener dehors
avec son père.
La nuit est noire noire,
et la lune fait une petite lumière
de rien du tout.
On n'y voit presque rien,
mais Jérémie trouve ça très bien.
Surtout avec les HOU HOU du hibou
dans le lointain.
Une fois, derrière un buisson,
il y avait une ombre
et puis un bruit de pieds
derrière un rocher.
Jérémie, d'un doigt,
a poussé le rocher.
SPLATCH!
l'ombre a eu
les pieds écrasés.
Elle s'est évanouie
et n'a plus fait de bruit.

Si jamais des martiens arrivaient
en soucoupe volante
et menaçaient Jérémie
avec leur rayon atomique,
Jérémie sait bien ce qu'il ferait.

HOP! un jet de salive bien placé
et BLOP! le rayon serait tout cassé.
La salive de Jérémie est extraordinaire:
elle détruit tous les ennemis.
Alors, il cracherait comme ça sur les martiens
et BLOP! encore, ils deviendraient tout ramollis
comme du chewing gum mâchouillé.

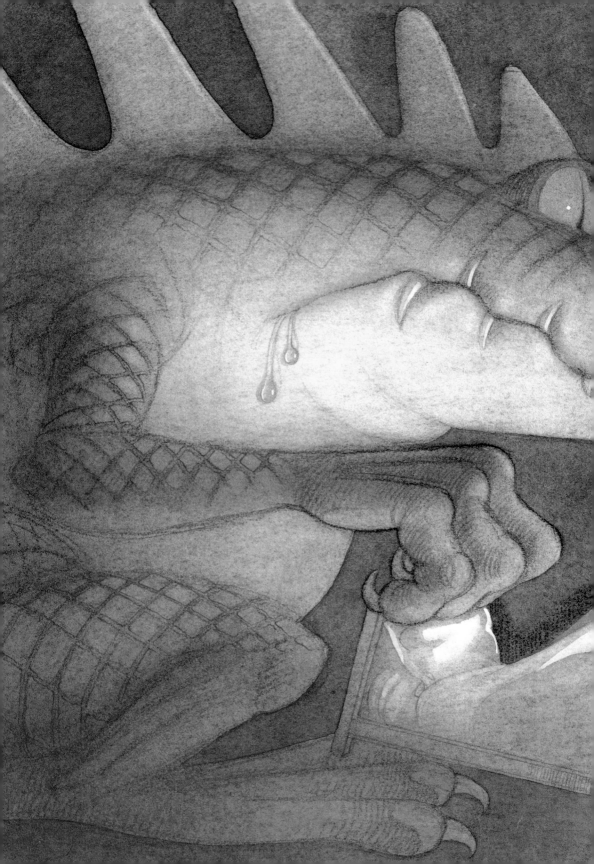

Un jour, un monstre pas possible
attendait Jérémie à côté de son lit.
Il était vert, tout baveux,
avec des tas de dents,
des tas d'écailles et de piquants ridicules.

Jérémie lui a montré la sortie
en lui disant tout simplement:
– Hors d'ici! Va voir là-bas si j'y suis!
Et quand le monstre a voulu revenir,
CLAC! Jérémie a refermé la porte sur lui.
Et le monstre a hurlé
parce qu'il s'était pris les patouilles dedans.

Hé oui, Jérémie, c'est vraiment
le plus courageux des enfants.
Quand il rentre chez lui avec sa clé
et que ni son papa, ni sa maman
ne sont arrivés,
il n'a pas peur un seul instant,
tout seul dans sa maison.

Même s'il y a deux cambrioleurs
cachés derrière les rideaux.
Il les assomme, il les ficelle,
et après, il téléphone à la police:
– Allo, ici Jérémie-peur-de-rien,
j'ai assommé deux voleurs,
venez vite!

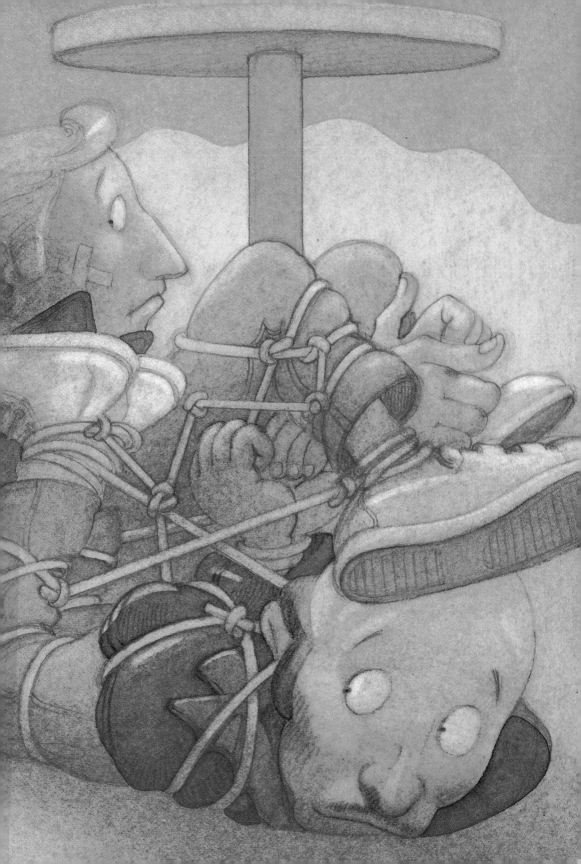

C'est vrai, Jérémie n'a peur de rien.
Mais ce que personne ne sait,
c'est que le soir, quand il va au lit,
il dit: «Maman, s'il te plaît, n'éteins pas dans le couloir.»
Non, Jérémie n'a pas peur du noir,
mais c'est tellement plus agréable de bien y voir,
au cas où quelque monstre abominable
passerait par là, ce soir, par hasard…